APPRENTIS LECTEURS

Bonjour, les ennuis!

Larry Dane Brimner
Illustrations de
Pablo Torrecilla

Texte français de Louise Prévost-Bicego

Pour l'école Taft Primary
— L.D.B.

Catalogage avant publication de Bibliothèque
et Archives Canada

Brimner, Larry Dane
Bonjour, les ennuis! / Larry Dane Brimner; illustrations de
Pablo Torrecilla; texte français de Louise Prévost-Bicego.

(Apprentis lecteurs)
Traduction de : Here Comes Trouble.
Pour les 3-6 ans.
ISBN 0-439-95829-6

I. Torrecilla, Pablo II. Prévost-Bicego, Louise III. Titre.
IV. Collection.

PZ23.B7595Bon 2005 j813'.54 C2004-906952-7

Édition publiée par les Éditions Scholastic, 175 Hillmount Road, Markham (Ontario) L6C 1Z7.

5 4 3 2 1 Imprimé au Canada 05 06 07 08

Bonjour, les ennuis!

Eh oui, c'est lui!
Wilbert la terreur,
le roi du fouillis!

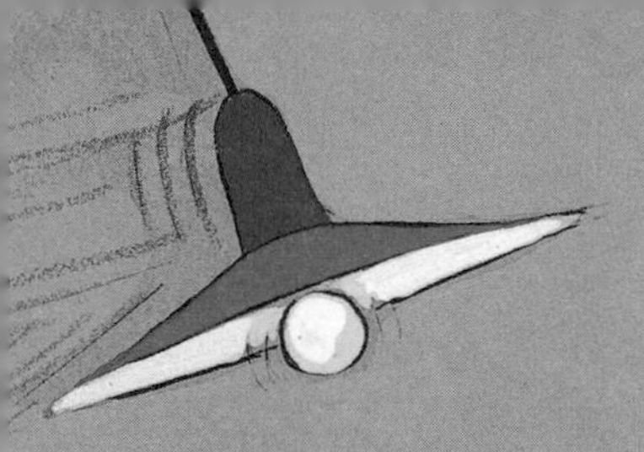

Il adore s'emparer
de mes choses préférées.

Pêle-mêle...
à l'envers...

tout ce qu'il touche
vole en l'air.

Il casse tout,

ce brise-fer...

t surtout ce que je préfère.

Oui, vraiment,
quel énervé!

« Voyons! dit maman.
Il est ton invité. »

W

Cela veut dire
que je dois partager.

C'est plus juste,
il faut l'avouer.

Je lui prête
ma plus belle casquette...

et il me confie
une carte secrète.

Nous fouinons.

Nous creusons.

Et ensuite,
nous jouons.

J'espère que nous
nous reverrons!

LISTE DE MOTS

à
adore
air
avouer
belle
bonjour
brise-fer
carte
casquette
casse
ce
cela
c'est
chez
choses
confie
creusons
de

dire
dit
dois
du
eh
en
énervé
ennuis
ensuite
envers
espère
est
et
faut
fouillis
fouinons
il
invité

je
jouons
juste
la
le
les
lui
ma
maman
me
mes
nous
oui
partager
pêle-mêle
plus
préfère
préférées

prête
que
quel
reverrons
roi
secrète
s'emparer
surtout
terreur
ton
touche
tout
une
veut
vole
voyons
vraiment